# LA BELLE AU BOIS DORMANT

Il était une fois un couple de souverains qui virent tous leurs voeux comblés lorsque la reine mit au monde une charmante petite fille. Pour son baptême, ils invitèrent toutes les fées du royaume.

Mais, pendant la fête, apparut une fée qui n'avait pas été invitée. Fâchée, elle déclara que la fillette se piquerait le doigt avec un fuseau et qu'elle en mourrait. Heureusement, les bonnes fées adoucirent la malédiction:

–Votre fille ne mourra pas; elle tombera seulement dans un profond sommeil dont un prince viendra la réveiller.

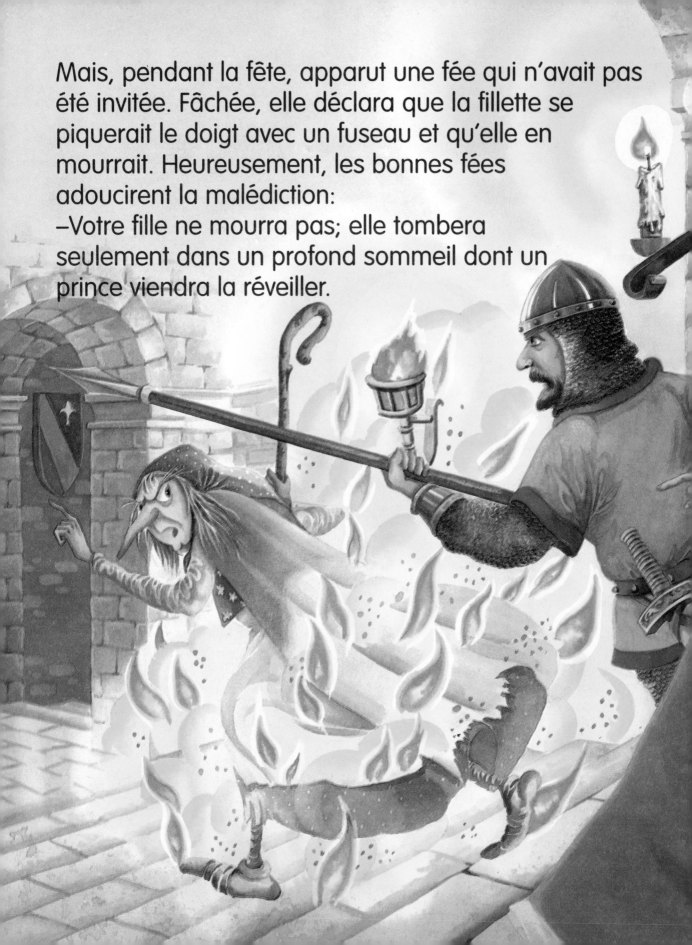

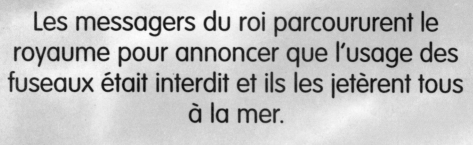

Les messagers du roi parcoururent le royaume pour annoncer que l'usage des fuseaux était interdit et ils les jetèrent tous à la mer.

La princesse, qui était sage et belle, grandit, toujours accompagnée de ses marraines, les fées.

Mais la malédiction de la méchante fée se produisit... Un jour où la princesse jouait à cache-cache, elle découvrit une tour qu'elle n'avait encore jamais vue.

Là, vivait une vieille femme qui n'était autre
que la méchante fée. Elle salua aimablement
la jeune fille et la fit entrer.
La princesse, curieuse, prit un fuseau et se
piqua aussitôt le doigt.

Elle tomba dans un profond sommeil. Les fées touchèrent de leur baguette magique tous les habitants du château qui s'endormirent également.

Cent ans passèrent. Les ronces et les plantes grimpantes avaient poussé et recouvert totalement le château. Un vaillant prince décida de rompre l'enchantement. Il parvint à se frayer un passage entre les ronces

Il arriva dans la chambre où dormait la princesse, se
pencha vers elle et l'embrassa. La Belle au Bois
Dormant se réveilla et lui sourit. Tous les gens du
château se réveillèrent et commencèrent les
préparatifs des noces de la princesse et du prince.

# LE PETIT POUCET

Un bûcheron et sa femme avaient sept enfants, et le plus jeune s'appelait le Petit Poucet. Comme ils étaient dans la plus grande misère, ils décidèrent un jour d'abandonner leurs enfants dans la forêt.

Ils partagèrent le peu de nourriture qu'il leur restait entre les sept petits et les menèrent dans une clairière de la forêt. En chemin, le Petit Poucet avait semé des miettes de pain pour pouvoir rentrer au logis.

Quand ils furent seuls, le Petit Poucet dit à ses frères qu'il saurait retrouver son chemin. Mais les oiseaux avaient mangé les miettes de pain et ils s'égarèrent. Ils marchèrent toute la journée. Au coucher du soleil, ils aperçurent une maison au loin.

Ils frappèrent à la porte et une brave femme vint leur ouvrir. Elle leur dit de se sauver, car son mari était un méchant ogre qui mangeait les enfants. Mais ils étaient si épuisés qu'ils préférèrent entrer.

La femme de l'ogre leur offrit à dîner puis les cacha
dans la cave. Quand l'ogre arriva, il dit:
–Je sens la chair fraîche!
Et, avant que sa femme ne pût l'en empêcher, il ouvrit
la trappe et découvrit les sept enfants.

Sa femme, qui lui avait préparé un dîner copieux, parvint à le convaincre de les garder pour le lendemain. Les enfants en profitèrent pour s'échapper par une fenêtre que la brave femme avait laissé ouverte.

Quand l'ogre se réveilla, le lendemain, il découvrit que le Petit Poucet et ses frères avaient disparu. Il chaussa ses bottes de sept lieues et partit à leur recherche.

Quand ils virent qu'il allait les atteindre, le Petit Poucet et ses frères se cachèrent dans un rocher creux. L'Ogre, fatigué, fit un somme.

Le Petit Poucet, qui était malin et courageux,
lui enleva ses bottes et les chaussa.
Comme elles étaient magiques, elles
s'adaptèrent aussitôt à son pied.

Grâce à ses bottes de sept lieues, le Petit Poucet put revenir chez lui et sauver ses frères. Il fut nommé Courrier du roi, pour les services qu'il rendit au monarque et, à partir de ce jour, ils vécurent tous heureux et unis.